Liebe Leserin, lieber Leser!

Wir gratulieren Ihnen herzlich zu Ihrem Geburtstag und wünschen Ihnen Gottes Segen.

In diesem Wunsch liegt alles, was wir Ihnen an Gutem wünschen können. Denn der Segen Gottes kann sich auf ganz unterschiedliche Weise ausdrücken. Wie mag er sich im vor Ihnen liegenden Lebensjahr zeigen?

Farbenfroh und lebensnah sind die Bilder und Worte, mit denen die irisch-christliche Tradition Gottes liebevolle Allgegenwart und Fürsorge beschreibt. Da ist kein Problem zu groß und keine kleine Freude zu gering. Die ganze Fülle und Vielfalt des Lebens wird unter den himmlischen Segen gestellt.

Wir haben Ihnen eine kleine Auswahl dieser Worte zusammengestellt und wünschen Ihnen damit Gottes segensreiche Begleitung durch das neue Lebensjahr. Seien Sie behütet!

Ich wünsche dir einen heiteren Himmel
über allem, was du gern tust.
Gottes Segen umgebe dich ganz.
Das Licht aus der Höhe erleuchte dich
und strahle tief in dein Herz.

Sei behütet im neuen Lebensjahr

Irische Segenswünsche zum Geburtstag

kawohl

Für einen erfüllten Tag

Mögest du immer Arbeit haben,
für deine Hände etwas zu tun.
Immer Geld in der Tasche,
eine Münze oder auch zwei.

Immer möge das Sonnenlicht
auf deinem Fenstersims schimmern
und die Gewissheit in deinem Herzen,
dass ein Regenbogen dem Regen folgt.

Die gute Hand eines Freundes
möge immer dir nahe sein,
und Gott möge dir dein Herz erfüllen
und dich mit Freude ermuntern.

Mein Wunsch
für deine Lebensreise

Möge Gott
auf dem Weg,
den du gehst,
vor dir hereilen,
das ist mein Wunsch
für deine Lebensreise.

Mögest du
die hellen Fußstapfen
des Glücks finden
und ihnen auf dem
ganzen Weg folgen.

Jahressegen

Ich wünsche dir
die zärtliche Ungeduld des Frühlings,
das milde Wachstum des Sommers,
die stille Reife des Herbstes
und die Weisheit
des erhabenen Winters.

Gesegnete Zeiten

Nimm dir Zeit zu arbeiten –
das ist der Preis des Erfolges.

Nimm dir Zeit zu denken –
das ist die Quelle der Macht.

Nimm dir Zeit zu spielen –
das ist das Geheimnis der ewigen Jugend.

Nimm dir Zeit zu lesen –
das ist die Grundlage der Weisheit.

Nimm dir Zeit freundlich zu sein –
das ist der Weg zum Glück.

Nimm dir Zeit zu träumen –
sie bewegt dein Gefährt zu einem Stern.

Nimm dir Zeit dich umzusehen –
der Tag ist zu kurz, um selbstsüchtig zu sein.

Nimm dir Zeit zu lachen –
das ist die Musik der Seele.

Segen zum Reifen

Möge der Schöpfer des Universums,
der dir das Leben gab,
sich von den Toren des Himmels
zu dir herabbeugen,
um dich zu segnen.

Er segne deinen Tag und deine Arbeit,
er segne deinen Kopf und deine Füße,
er segne dein Herz und deinen Mund,
er segne deine Familie und das Vieh.

Er lasse das Gras mit seinem Segen
gedeihen und das Korn.
Er segne auch deinen Nachbarn
und den Kranken,
den du nicht kennst.
Er möge auch dein Alter
segnen und deinen Tod.

Denn nichts wächst
und reift und wird Frucht
ohne den Segen dessen,
der über dich wacht
und über die Welt.

Dankbarkeit

Mögest
in deinem Herzen
du so manchen
reichen Lebenstag
in Dankbarkeit bewahren.

Mit den Jahren
wachse jede Gabe,
die Gott dir
einst verliehen –
um alle, die du liebst,
mit Freude zu erfüllen.

In jeder Stunde,
Freud und Leid,
lächelt
der Menschgewordene
dir zu –
bleib du
in seiner Nähe.

In jeder Stunde

Beim ersten Licht der Sonne
über dem Horizont – sei gesegnet!

Wenn der Tag sich verabschiedet –
sei gesegnet!

Wenn du lachst oder weinst,
redest oder schweigst – sei gesegnet!

Der Segen des allmächtigen Gottes
begleite dich in jeder Stunde,
an jedem Tag, in deinen Gedanken
und bei allem, was du tust.
Sei gesegnet!

Bestell-Nr. RKW 5427

2. Auflage 2018

© 2017 by
Kawohl Verlag, 46485 Wesel
Alle Rechte vorbehalten

Textrechte: Hermann Multhaupt

Titelfoto: H. Löw

Innenbilder:
Getty Images / Zoonar RF (2), Foto-CD (5, 8), Digital Vision (6),
S. Kuttig (10, 13), Getty Images / P. Kosmider (14)

Gestaltung und Zusammenstellung: Kawohl Verlag / J. Dörr

Druck und Bindung: Girzig & Gottschalk, Bremen

ISBN 978-3-86338-427-2   www.kawohl.de

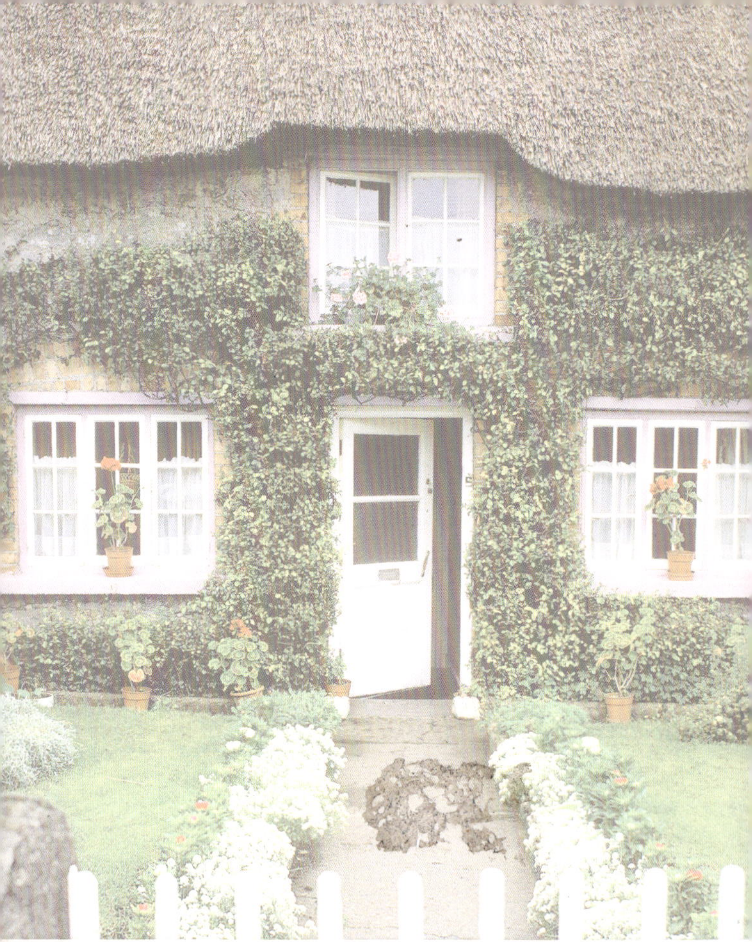

Von Herz zu Herz

kawohl - *Grußheft*

www.kawohl.de
RKW 5427 • ISBN 978-3-86338-427-2
9 783863 384272